上方落語
ひとくち絵本

目次

1 
動物園 5
「出勤は昼前で、あんまり力仕事や人としゃべることも無うて、一日、ブラブラして日当が1万円でも貰えたらなぁ」

2 
狸賽 13
「恩を受けてお返しをせんという、人間みたいなことをするな。」と、親父に叱られまして、なんぞお手伝いができれば・・・と」

3 
さぎとり 21
「それでね、今度は、サギをとりに行こと思うんですけど、サギ、どこにおりまっしゃろな?」

4 
蛇含草 29
「ははぁ、腹がいっぱいで苦しいんやな。それなら、まあ、喰われる心配はないかいなぁ」

5 
池田の猪買い 37
池田も、山の手へかかってまいりますと、折りからの寒気、綿をちぎって投げるようなやつが、チラチラ。

6 
皿屋敷 45
「ほたら、おやっさん、なんでっか?その九枚という声を聞かなんだらよろしいの?」

7 
五光 53
ふと枕元を見ると、何者かが座って、娘の顔を、ジーと見ている。

8 
堺飛脚 61
大阪から堺へは、今でも堺筋といいますが、途中には飛田の森という大きな森がありましたんやそうですな。

9 死神 69
しばらく待っておりますと、枕元の死神が、ウツラウツラと居眠りをし始めました。

10 七度狐 77
喜六と清八という大阪の兄弟分。伊勢参りでもしょうかという、でも付きの伊勢参り。

11 ちはやふる 85
「ええい、お前なんぞに食わすおからはないわい！と、冷たく突き飛ばしたんや」

12 青菜 93
「鯉の洗いを、井戸の水でうんと冷やしてありますのや。酢味噌で食べなされ」

13 はてなの茶碗 101
「麻呂も、その茶碗が見たい」ということになり、その茶碗を見て一首。

14 花筏 109
「ひがぁーしぃー、はなーいかだー」「にぃしー、ちどりがはぁまー」

15 愛宕山 117
空にはヒバリがさえずり、野にはカゲロウが燃えてます。麦が青々とのびて、菜種の花や蓮華、タンポポの花盛り。

あとがき 126

動物園

「おじさん、こんにちわ！」

「こんにちわやないがな。ええ若いもんが、いつまでもブラブラしてたらあかんやないか。きょう、呼びにやったのはほかでもないねや。お前ののぞみにピッタリの仕事があったさかいな」

「へえ、わたいののぞみ？」

「そうや、ゆうてたやないか。出勤は昼前で、あんまり力仕事や人としゃべることも無うて、一日、ブラブラして日当が1万円でも貰えたらなあ。て」

「えっ、言いましたけど、そんなとこがホンマにありまんのん？」

「そうや。移動動物園というやつでな。呼びもんのトラが死んだんや。着ぐるみがあるのでな、そう、トラになるねや」

「そら、おもろそうでんな。ぜひ、行きます」

とゆうワケで、
この男、まいりましたのが移動動物園でございます。
「ああ、あんさんでっか。甚兵衛はんとこから来なはったんは。
聞いてます。さっそく、これを着てな。そうそう、首のすき間から
見えるやろ。コレコレ！椅子にすわったらあかんがな。どこの
世界にトラが腰かけて腕組みすんねや。
さあさあ、よつんばいになって・・・まっすぐ歩いたらあかん
がな。こうゆうふうに、前の足を交差するように歩くのや」
「あんさん、じょうずでんなあ。あんさん、やりなはれ」
「アホなことといいなはんな。さあ、早よオリへ入って、あんまり
客のほうへ行かんと、コラコラ！トラがパンを前足で持って
喰うてどないすんねん！やめなはれ！」
・・・ポンポン言うなあ、あの人。まあ、ええわ。ラクな仕事や。
ウワー、ようけ人が集まって来よったなあ。
いっぺん吠えたろかしらん・・・

てなことをしておりますと、
場内アナウンスが流れます。
「ピンポーン・・・
ご来場の皆様、本日は日曜日の
特別イベントでございます。
当動物園が誇ります
百獣の王のライオンと、
人気者のトラの
戦いでございます。
どうぞ、トラのオリの前にお集まりくださいませ
・・・ピンポーン」
・・・えー！無茶ゆうたらあかんで！
そんなこと聞いてへんで！・・・
うわー、ライオンのオリを近づけよる。

ああ、開けたらあかん！戸を開けたらあかんがな！
こんなことやったら1万円、貰わなんだらよかった。
ライオンのほうはと申しますと、
さすが百獣の王といわれるだけありまして、
落ち着いております。
トラのほうをジーと見つめると、ゆっくり、
トラへ近づいてまいります。
観客も固唾を飲んで見ております。
「おかーちゃん、あのトラ、震えてるで。
やっぱり、トラよりライオンのほうが強いなあ」
・・・あーもうあかん。
ナンマンダブツ・・・
トラが震えておりますと、
ライオンが、ゆっくり、
顔を近づけてまいりまして・・・
トラの耳元で、

「心配すな。
ワシも1万円で
雇われてんねや」

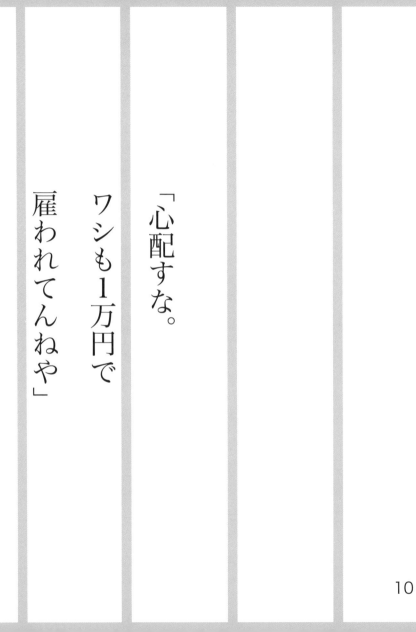

動物園・ひとくちあとがき

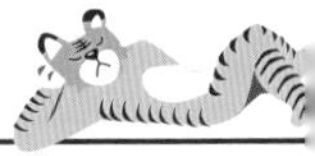

「動物園」は今でも高座で、若い噺家が時々演じる落語です。老若男女にわかりやすく、落語というもののとっつきとしていいからでしょうなあ。これは明治時代の上方で活躍した二代目・桂文の助の創作だとか。この人は、京都高台寺・文の助茶屋の創業者でもあります。

狸賽

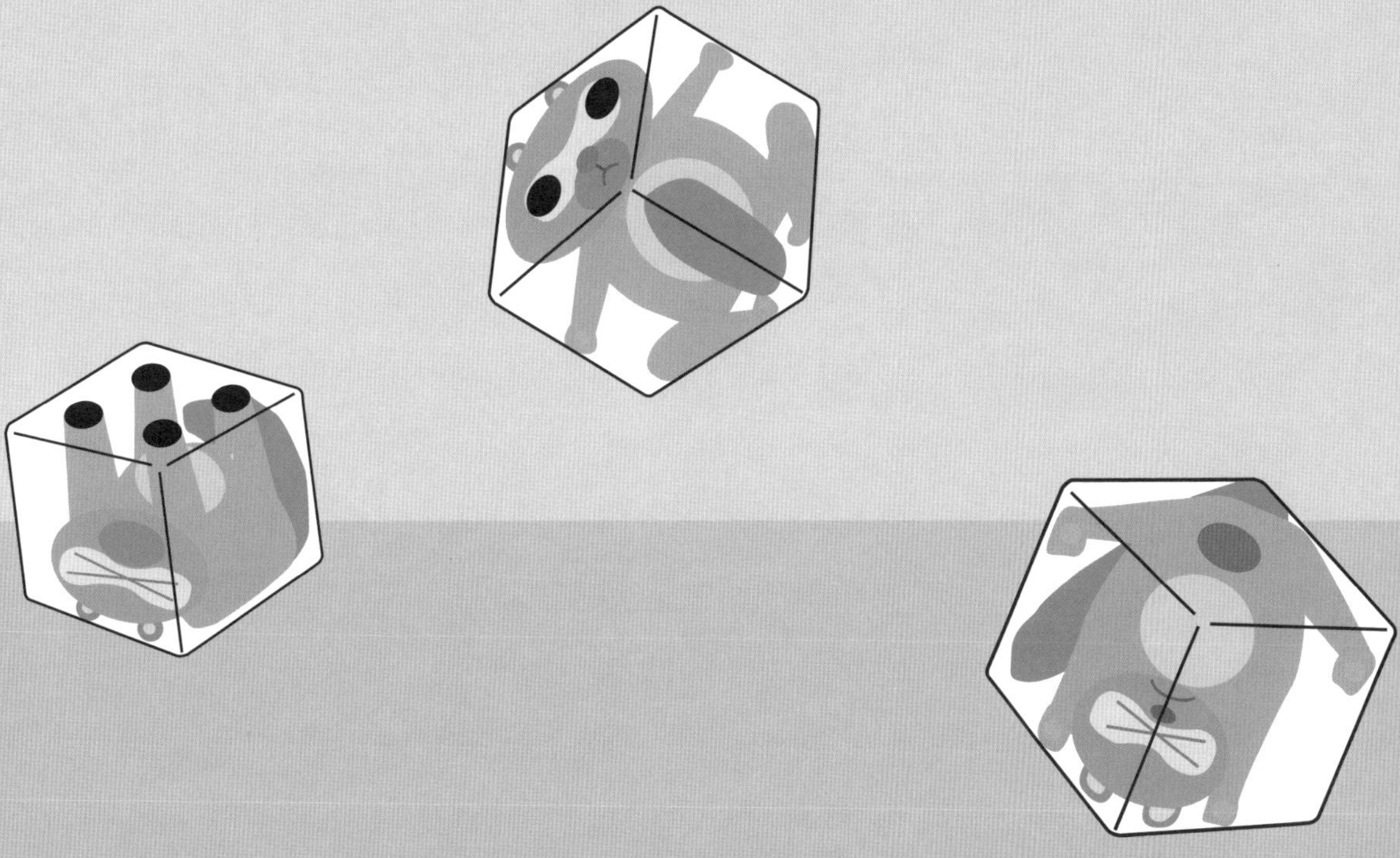

現代は、ギャンブルといいますと、競輪競馬、パチンコ麻雀てなものですが、昔はサイコロ賭博。

素人が手を出すと、ずいぶん痛い目にあったりいたします。

「こんばんは。こんばんは。ちょっとお開けください」

「誰や?こんな夜中に」

「へえ、狸でございます」

「なに?狸?冗談いうと承知せんぞ!」

「いいえ。本当です。昼間、犬に追いかけられていたのを、大将に助けていただいた狸でございます」

「おう、そんなことがあったな。あれは子犬でなくて狸やったんかいな。その狸がいったい、この真夜中に何の用事や」

「へえ。恩を受けてお返しをせんという、人間みたいなことをするな。と親父に叱られまして、なんぞお手伝いができれば・・・と」

「えらい耳の痛いことを言うな。今、開ける。待て」

~ガラリ~

「お、ほんまに狸や。小っちゃい子狸やな」

「別にお礼をしてもらうことはないで。いや待てよ。お前、狸なら何かに化けられるのか?」

「へえ、まだむずかしいものはあきまへんけど、見たことのあるもんなら」

「よし。ほな、サイコロに化けてみてくれ」

「サイコロ？知りまへん」

「ほれ、角のおもちゃ屋のおもてに、看板でぶら下がってる四角いやつや」

「あ、あれでっか？・・・こうですか？」

「おお！化けよったがな。しかし大きいな。これは看板や。もっと、小いそうなれ、そうや、あー見えんようになってしもた。そうや、大きく、おっと、そのぐらいや。ええがな。ええサイが出来たがな。ちょっとぬくいな。なに？あんまり振らんように。目が回るてか？よしよし、ええ具合いに転がってや。そうそう、しかし二ばっかり出るな。なに？二は上向いて目玉で出すので、いちばんラク？そんなら一は？え？逆立ちして尻の穴ですて？汚いな」

この男、狸の恩返しをええことに、
ひと儲けをたくらみまして、
翌日、仲間の集まる賭場へまいります。

ちょぼいちというサイコロひとつで
出た目を当てるというゲームでございます。

「すまん、きょうは、ええもんが手に入ったんや。

このサイコロで、わしにやらせて。金はあるねん」

「おかしなもん持って来たんと違うか？

あやしいなあ。見せてみい」

「あ、噛んだらあかん！反対に噛まれるで」

「おやっさん、どないしまひょ？」

「コイツに金があるなんて珍しいがな。させてやれや」

「へい」

「ほな、壺を振ります。さあ、張った張った！」

ほほう、皆、張りよったなあ。一が空き目か。

二が出たらわしの総取りやなあ。

「さあ、たあちゃん。二やで。

いちばんラクなヤツで行こ！」

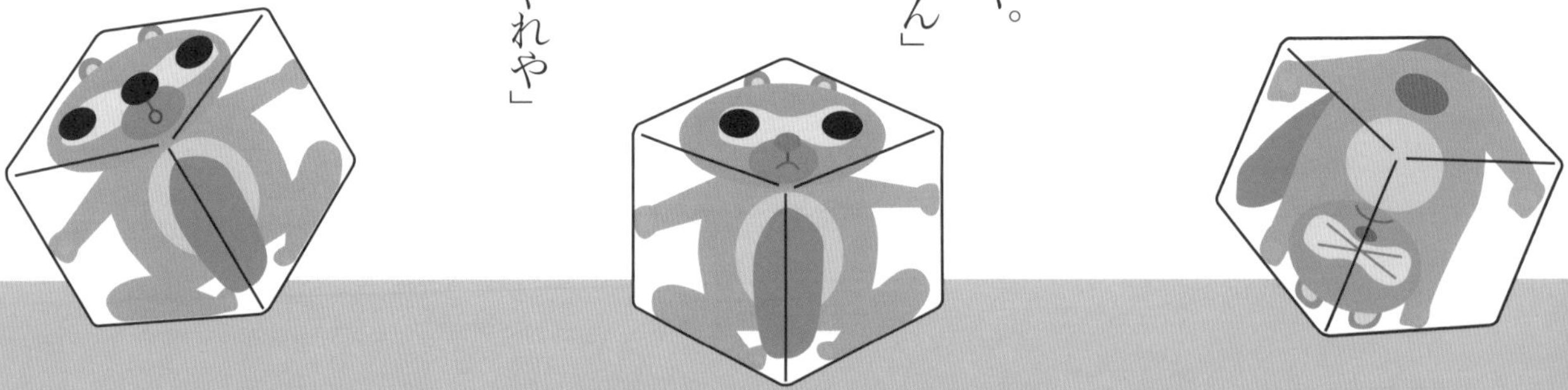

「次!今度はピンが空き目か?さあ、
たあちゃん、今度は逆立ちして、尻の穴や。
そうや。一やで」
「おいおい、アイツ、口で言うた通りの目を出してるで。
気持ち悪いな」
「おい、あかんで。こんなもん、一や二や言いながら
するもんと違うで。数字を口で言うな。あやしいわ!」
「そんなこというても、言わなんだら中の
たあちゃんにわかれへんがな。
数字を言わなんだらええんやな。」
「そうや、数字言わなんだらええねん」
「ほな、行くで。さあ、勝負!
(あ、こんどは五が空き目か。数字は言えんと、
うーん)そうや、たあちゃん、今度は、
真ん中にひとつ、周りに4つ、
天神さんの梅鉢の紋や。わかったか?
天神さん知ってるやろ!天神さんやで!」
頼んだゾ!と、壺を開けてみますと、中で狸が、

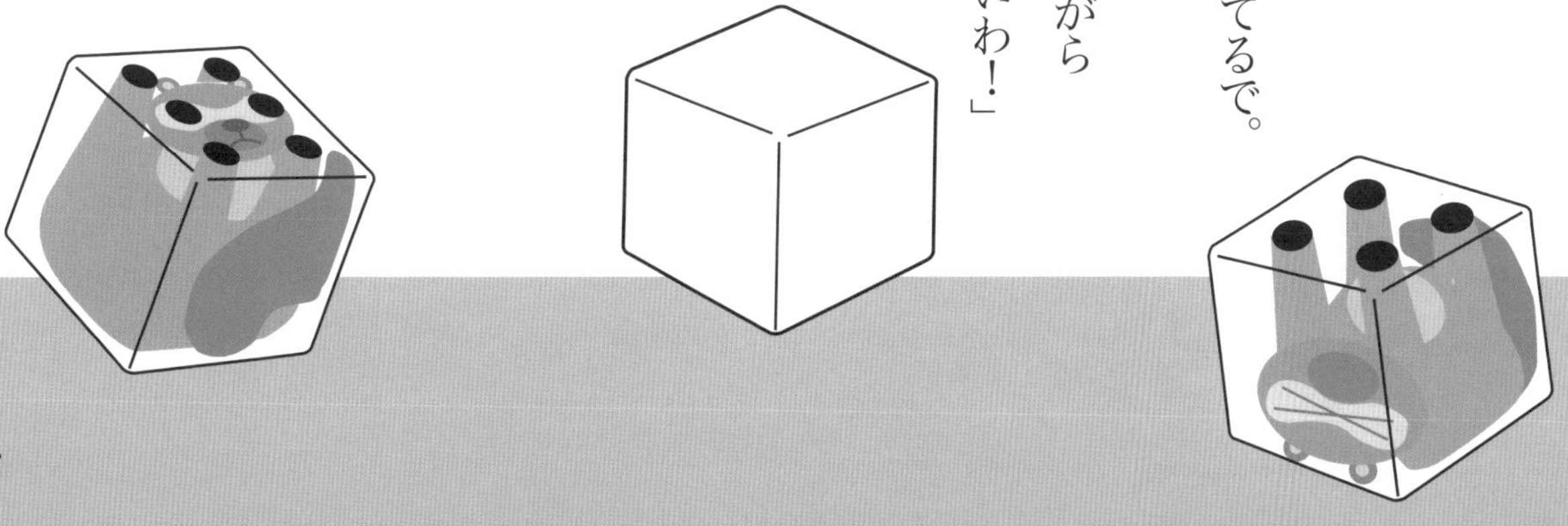

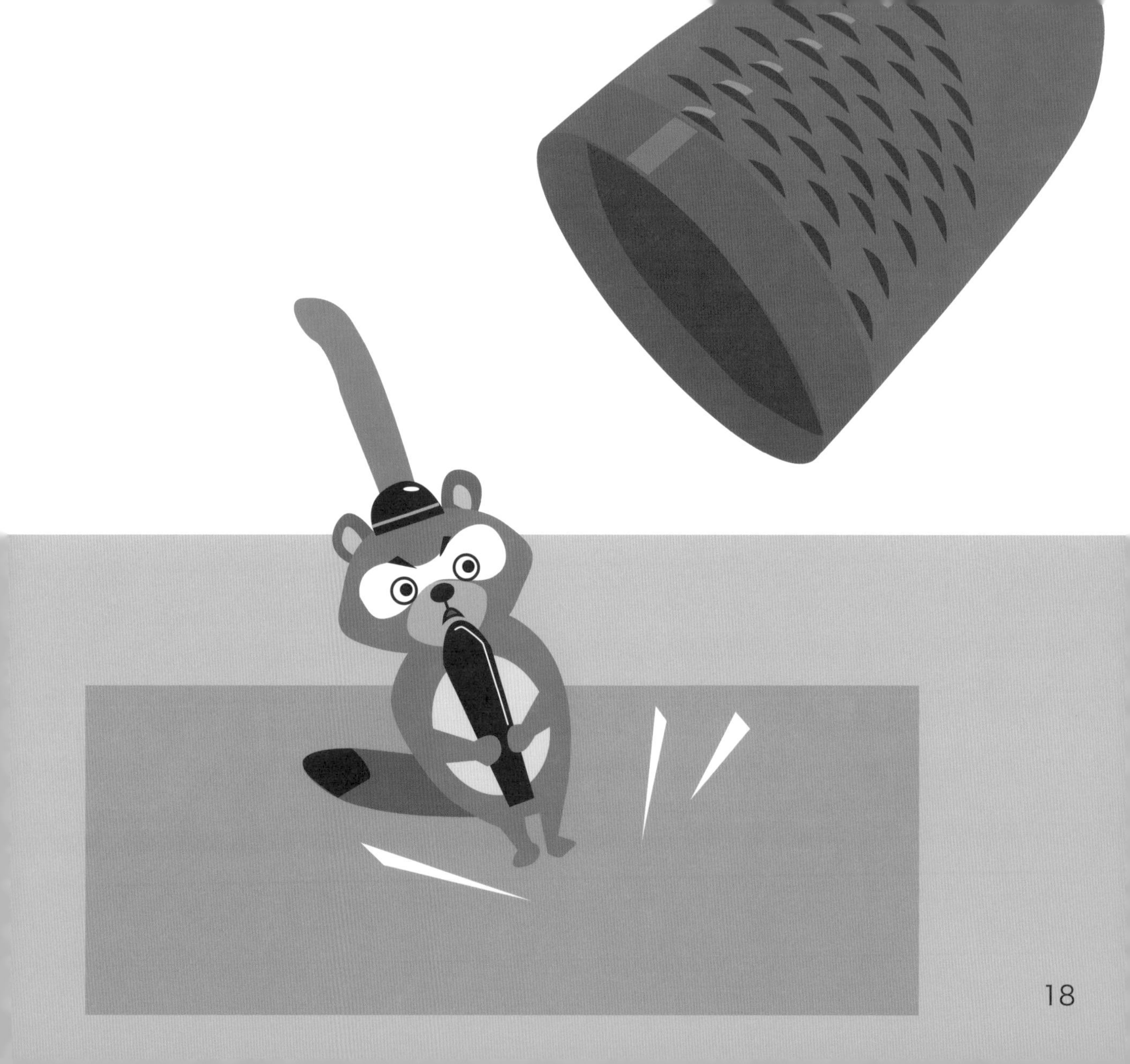

かんむりをかぶって、
シャクを持って
突っ張ってました。

狸賽・ひとくちあとがき

なんとけなげな子狸でしょうねえ。また、この男、とてつもない超能力を手に入れたにもかかわらず、しょーもないことに使います。このあたりが、落語の素晴らしさですよね。原本は江戸時代の笑話本だそうです。この話は演者がオチに天神さんのポーズをとるのが面白い。今ではもう、梅鉢の紋といっても天神さんを思い浮かべる人は少ないでしょうけどね。

さぎとり

「おっさん、こんにちは」

「おう。こらめずらしい。今、どないしてんねん」

「へえ。このごろは鳥捕りをしてまんねん」

「鳥捕り?鳥刺しのことかいな」

「いやあ、一羽ずつトリモチで刺していくなんてゆうのは、まどろっこしい。いっぺんに、バーと捕るのがよろしいのや。」

「ほう。そんな方法があるのかいな」

「伊丹の名物『こぼれ梅』ちゅうのを知ってまっか」

「知ってるがな。みりんの絞りカス、パラパラとした昔からあるお菓子や」

「わたしの知ってる上町のお寺の庭にね、雀がぎょうさん集まるところがおまんねや。その庭へね、こぼれ梅を、ばーと撒きまんねん。最初は皆、用心して、あれはなんやろ?て、近づきまへんけどね、そのうち、お江戸のほうから来た活きのええ雀が、『おう、おいらが見てくるぜ!』とタンカを切って、チュンチュンと降りて来て、ちょいとつまむ。戻ってきて、

『おう、みんな、オツな味だったぜ』てなことをいいまんねん。そしたら皆、チュンチュン、チュンチュン降りて来て、我れ先にこぼれ梅を食べるわ食べるわ。そのうちにね、あんた、みりんの絞りカスでっしゃろ。だんだん、皆、酔うて来まっしゃろ。チュチュラ、チュン・・・てなもんで、皆、千鳥足ですわ」

「雀が千鳥足というのもおかしな具合やな」

「そうなると、今度は皆、寝むとうなって来まんねん。その時を見はかろうて、落花生をバーと撒くんですわ。殻付きのヤツでっせ。真ん中がへっこんでるさかいに、ああちょうどええ枕が来た、てなもんで、皆、落花生を枕に寝てしまいまんねん。そこを、箒でザーとかき集めてたら、いっぺんにぎょうさんの雀がとれまっしゃろ」

「ふーん。やってみたんかいな」

「へい。雀がこぼれ梅で、フラフラになったとこまではよかったんですけどね、落花生を撒いたら、その音にびっくりして、皆、バタバターと飛んでしもて、なんやかんやで、えらい損」

「アホかいな」

「それでね、今度は、サギをとりに行こと思うんですけど、
サギ、どこにおりまっしゃろな？」
「うーん。サギなあ。北野の円頓寺には、サギがようけおるなあ。
湿地やからなあ。しかし、あれは用心深い鳥やからな、
むずかしいで」
「そうでっか。さっそく今晩、行てみます」
この男、ちょっと抜けてるわりには行動力は一人前で、
その晩、道修町を北へ北へ。北野の円頓寺へやってまいります。
塀を乗り越えよって、境内に入りますと、あたり一面は真っ暗。
目を凝らしますと、池にはびっしりとサギが寝ております。
「うあーようけおるなあ」
そーと近づいて、ヒョイと首を掴みます。
「あ、獲れた。えらいカンタンやなあ」
男は、夢中になりまして、次から次から、
サギを帯に挟んで体のまわりが
サギだらけになった時分、
夜がしらしらと
明けてまいります。

と、サギが目を覚ましまして・・・

「グフッ、なんや首が苦しいなあ。おい、サギ吉、起きんかえ」

「グフッ、あれ、サギ右衛門、これどないなってんねん」

「この男に捕まってんねや。皆、そーと起こせ。せーので、皆で飛ぶぞ」

帯に挟んだサギがいっせいに飛んだもんですから、この男、中天高く、サギに連れて行かれまして、

「なんや！寝てる思てたのに、飛ぶなんて！サギやな」

てなことをゆうております。

手足をバタバタしておりますと、目の前に鉄の棒が一本立っておるのにしがみつきます。

サギは帯を抜けて、皆、飛んで行ってしまいます。

「えらい高いところへ来てしもたなあ。ここはどこや。あの山は生駒やなあ。下に石の鳥居、ははん、ここは天王寺さんやな。しかし五重塔が見えんなあ・・えー！ここが五重塔のてっぺんやがな！」

下のほうでは、大騒ぎになっております。

天王寺の五重塔のてっぺんに人がいる。
九輪にしがみつて難儀している。これは助けないかん。
寺では大きな布団を出してきまして、五重塔の下へ。
四隅を、坊さんが持ちまして、上を見上げております。
「ははあ、あそこへ飛び降りとゆうてるのやなあ。こわいなあ。
しかししゃあない。思いきって、飛び降りよか。エーイ!」
男が、ボーンと布団の真ん中へ落ちてまいります。
その反動で、四隅の坊さんが、ガチーンとアタマを打って・・・

ひとり助かって、
四人死んだ。

さぎとり・ひとくちあとがき

残酷なオチですなあ。しかし落語だけあって、あんまり大惨事には思いません。アホラシ、というところでしょうかね。ところで、荒唐無稽な話の中でも事実をチョコチョコ入れ込んであるのが落語の面白いところでして、伊丹名物のお菓子「こぼれ梅」は今でも売ってます。円頓寺も、太融寺の近くに、立派に現存。もちろん、鷺の池はもうありませんが。

蛇含草

日本の国は、山や海が複雑でしてな、そのうえ、温暖で雨が多い。よその国に比べて、めずらしい草や木の種類もずいぶん多いのやそうですな。

ある男が旅から大阪へ帰る途中のことでございます。

昼下がりに山道を歩いておりますと、オロチとゆうんですかな、見たこともないような大きな蛇が、横たわっております。

ビックリしまして、ソーと逃げようとしたんですが、蛇はまだこっちに気がついてない様子で、ズル、ズル、とどこかへ向かっております。木の陰からジーと見てますと、この蛇、どこか、しんどそうで、ゆっくりとしか、よう動かんようで。よく見ると腹の中ほどが、大きくふくらんでおります。

「ははあ、腹がいっぱいで苦しいんやな。それなら、まあ、喰われる心配はないかいなあ」

と、少し安心をいたします。

しばらくすると蛇は、なんや見たこともない草の前で止まりまして、その草をムシャムシャと喰い出した。

「あれ？腹がいっぱいとちがうんかいな。

まだ喰うてるがな」

しばらく草を喰うておりますと、大きな腹がスーと元通りになりまして、蛇も、ちょっとラクになったようで、どこかへ行ってしまいよった。

「なるほど、あの草は、喰い過ぎのクスリなんやなあ。
それにしても、早い効き目やなあ。見る見るうちに腹が小そうになったがな。そうや！これは、来月、役に立つぞ・・」
この男、この草をたくさん採りまして、
無事に旅から帰ってまいります。
来月、役に立つぞ・・といいましたのは、町内のそば喰い大会のことでして、今でも、出雲のワンコそばや兵庫・出石の皿そばなんかの店へ行きますと、ようけ食べた人の番付が壁に貼ってあったりしますが、この男、実は、
町内のそば喰いの大関でございます。

さて、
旅から帰りました
翌月、
そば喰い大会の
当日でございます。

男は、羽織の紐に、例の草を結び付けまして、なにくわぬ顔で出てまいります。まあ、喰うた喰うた。この男ともうひとりの、ふたりが優勝候補に残りまして、あと十杯ほど喰わんと勝てんというところへまいりまして、男が言います。

「ちょっと、はばかりへ」

「最後の勝負やさかいな。早よ戻ってこなあかんで」

審判が言います。

「わかってるわいな。すぐや」

男、厠へはいりますと、さっそく、羽織の紐に結んでいる草をムシャムシャ喰い出しまして、

「これで大丈夫。今まで喰うたもんが消えるからな、誰にも負けることはないわ」

しばらくしまして、

「おい。あいつ、えらい遅いな。なんぞ、インチキなことしよんのとちゃうか?ちょっと、見て来てみいな」

二、三人が厠へ行ってみますと、シーンと静まりかえっております。はて、おかしいな?と、思うて、

無理に戸を開けてみますと・・・厠の中に・・・

そばが羽織を着て、
座っておりました。

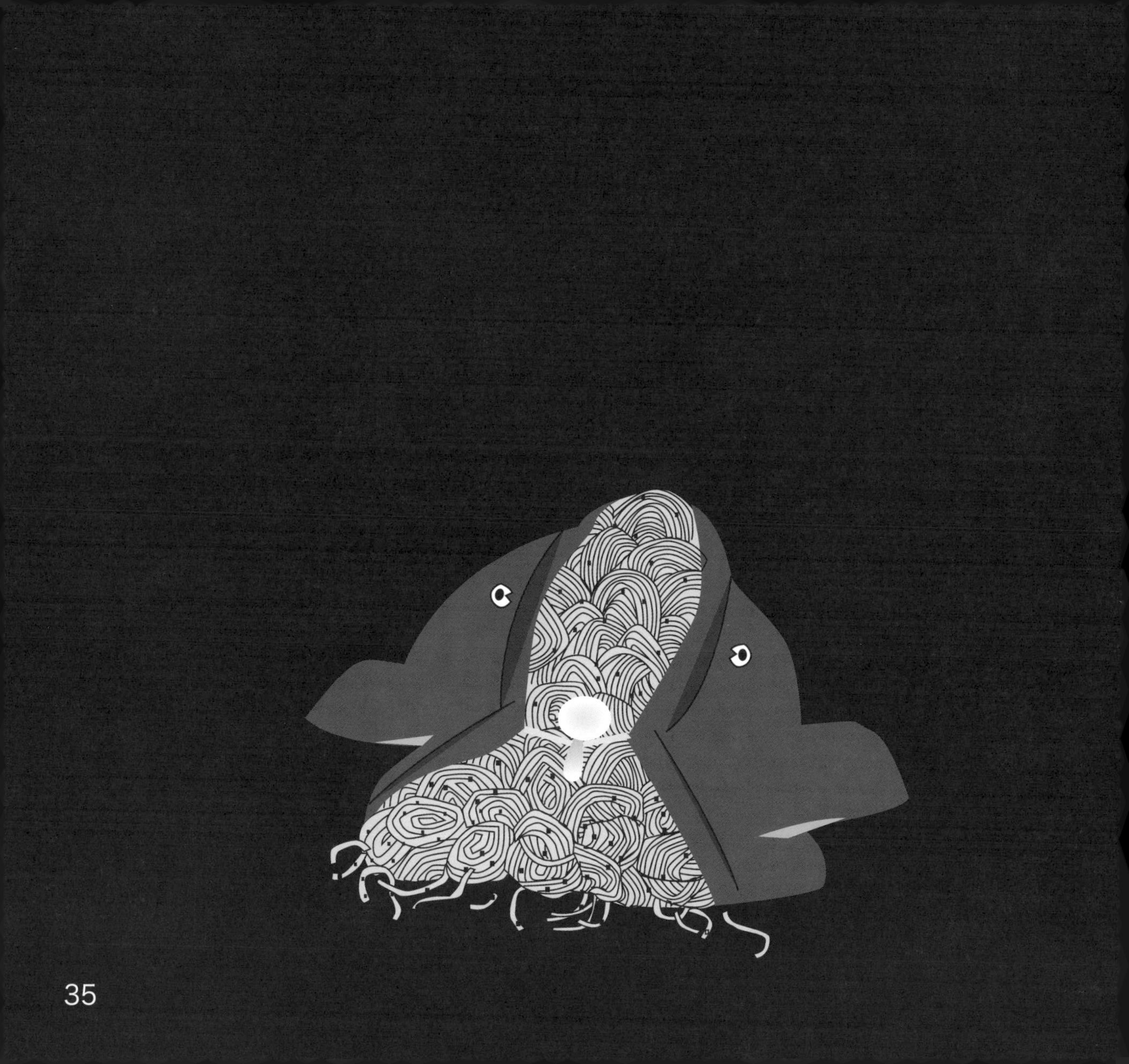

蛇含草・ひとくちあとがき

これは「そば清」という演題で、東京型の話です。上方では「蛇含草」の演題で、餅をたらふく食べる、真夏の話になります。まあ、腹ごなしの薬ではなく人間を消す草であった、旅で出会った蛇は人間を呑んでいたというのがわかるというオチですが、羽織はわかるが、着物はどこへいったんや、というつっこみに応えて、上方では真夏の話、消える男は褌一丁に絽の羽織という設定です。

池田の猪買い

「甚兵衛はん、こんにちは」

「どないしたんや。長いこと顔、見せんで。

え？寝てた。ふんふん、体が冷える？

冬になるとな、ようあるこっちゃ。

ちょっと、ぬくもるもんでも食べたらええなあ」

「なんです。ぬくもるもん？」

「そうやなあ。今の季節、やっぱりシシの実やな」

「はあはあ、イノシシですな？」

「昔から、クスリ喰いとゆうてな、ぬくもるもんや。しかし、この辺のではいかんなあ。やっぱり、新しいないとな」

「といいますと」

「明日の朝、早ようにでも起きて、池田へ行きなはれ。六太夫さんとゆう有名な山漁師の家があるからな、そこなら、新しいのを分けてくれる。そうやなあ。三百匁ほど買おたらええやろ。ついでにワシにも二百匁ほど、買おて来て」

この男、翌朝、早よう起きまして、教えられました通りに、池田へ歩いて参ります。

お初天神の西門から北へ一本道。十三の渡し、三国の渡しを超えまして、服部の天神さん、岡町から池田、池田も、山の手へかかってまいりますと、折からの寒気、綿をちぎって投げるよなやつがチラチラ。

「もし、ちょっと、おたずねしますが・・山漁師の六太夫さんのお家はどのあたりでっしゃろ？」

「六太夫は、手前じゃが」

「へえ、何軒ほど手前？」

「けったいなヤツが来たなあ。六太夫はワシじゃ」

「あ、そうでっか。あの、大阪から来たんですけど、シシの実を分けてもらえまへんか」

「ああ、客人か、ちょうどええ、おとつい撃った新しいのがあるで・・」

「そら、あきまへん。ワタシね、疑り深あい人間でね、そら、おとついやらおとどしやら、見た訳やないから、わからん。今から撃っておくんなはれ」

「いったい、どのぐらいいるんじゃ？」

「へえ、わてと甚兵衛はんで、合せて五百匁」

「え？五百匁ぐらいでわざわざ撃ちに行けるかいな」

「そんなこと言いなはんな。表、雪がちらついて、こんな日は猟が立ちまっせ」

「何？猟が立つ？いやあ、そのひとことが気に入った。よし、山へ行こう。あー、イノよ。トトは今から客人と山へ行てくるでな、ひとりで留守番をしててくれ」

「うー」

「うーちゅうヤツがあるかえ。大阪の客人に笑われる。返事は、はいというんじゃ」

「トトもすんだら早よ帰ってきてな」

「うー」

「トトも、うー言うてるがな」

「おとなは構やせんのじゃ。ほな客人、行こか」

「うー」

色々準備をしまして、山へ。この男、ふうふう言いながら、コケながら六太夫さんに付いて登っております。

しばらく歩いて高みへ出ますと、谷底まで見晴らせる広い場所。

一面の銀世界でございます。

「客人、運がえぇのう。いっぺんに二頭も出てきた」

「うわーホンマですな。あれ、親子ですか？夫婦ですか？」

「今時分、親子はおらん。あれはオンとメン、夫婦やな」

「ほな、なんですか？やっぱり仲人入れて・・・」

「猪に仲人があるかいな。ゴジャゴジャ言いな。気ぃが散る。

オンを撃とうか、メンか」

「甚兵衛はん、歯が弱い。肉のやらかいメンで」

「よし、メンを撃つぞ」

「いや、やっぱり、オンにしまひょ。

大きいほうが、商売としてはよろしいやろ」

「ほな、オンやな」

「いや、やっぱり、メンか」

あんまり、そばでゴジャゴジャ言うもんでっさかい、六太夫さん、思わず、ドーンと引き金を引いてしまいまして、一頭は、ズンズン逃げて行きましたが、一頭は倒れます。

ふたりは、猪に駆け寄ります。
「うあー、やったやった!これ、新しいか?」
「お前、アホか。今、ここで、撃ったとこやないか」
「いいや、わかりまへん。あんさん、わてがよそ見してる間に、差し替えたりして・・」
さすがの六太夫さんも、ハラが立ちまして、鉄砲のコジリで、猪をガツンと叩きます。
この猪、実は弾が当たってるわけやありません。」
銃声に驚いて気を失うていただけでして、
六太夫さんの一撃で、
ふと、立ったかと思いますと、
それへさして、ヨロヨロ・・。

「どうじゃ客人。
あの通り新しい」

池田の猪買い・ひとくちあとがき

上方落語では、この話も一連の旅の話としています。いわゆる、北の旅です。昔は大阪から池田へ行くのも、ちょっとした旅だったようです。演題に地名が出てくる池田市では、落語での町おこしも盛んで、社会人落語のコンクールでも有名な町。当代の桂文枝さんがお住まいなこと、故・枝雀さんが好きな地酒・呉春の造り酒屋があることなど、何かと落語と縁のある池田です。

皿屋敷

大阪から少し離れた播州姫路のお話でございます。

若い者が集まりまして、今しがた旅から帰った仲間の家で話しております。

「そうや。俺は旅先でえらい恥をかいたんや。皿屋敷を知らんとは、姫路でもだいぶ田舎のほうのお方ですなあ、てなことを言われたんや」

「皿屋敷なあ?わしらも知らんな。ほな、おやっさんとこへこれからみんなで聞きに行こか」

・・・・

「おうおう若いもんが大勢で、いったい何の用じゃい。え?皿屋敷。おうそうか?それは恥をかいたな。地元のもんは、あれを車屋敷と呼ぶでな」

「え?皿屋敷とは、町はずれのあの空き家、車屋敷のことですかいな。それなら、わしら、こどもの時から知ってますのに」

「そうや、昔、あそこには青山鉄山というお武家が住んでおってな、腰元にお菊という絶世の美女がおったんや。

これに懸想したのが殿様の鉄山や。お菊に言い寄るが、許嫁のいるお菊はきっぱりと断る。腹が立った鉄山は、お菊に家宝の皿十枚を預けて、そっと一枚、隠すのやな。さあ、皿はどこへやった、お菊が、一枚二枚〜と、何度数を数えてもどうしても一枚足らん。ついに庭の木にお菊を吊るして責め折檻、ざっくりと肩口から切り下げて、井戸の中へ放り込んでしもうたんやな」

「まあ、なんとむごい話ですなあ」

「それからというもの、毎日、丑三つ時になると、
井戸の中からお菊の幽霊が出て、
一枚、二枚と皿を数える。
鉄山は狂い死にして、家は断絶。今は空き家や」
「怖い話ですなあ。おやっさん、そ、それで、
そのお菊の幽霊は、今でも出るんでしゃろか？」
「ああ、出るで。昔は肝っ玉自慢のヤツがちょいちょい
見に行ったが、最後の九枚の声を聞いたら、
どんな頑丈な人間でも震いがついて死んでしまうのや」
「ほたら、おやっさん、なんでっか？その九枚という
声を聞かなんだらよろしいの？」
怖いもの見たさというのは誰にでもありますな。
大勢で真夜中、時間を示し合せまして、
車屋敷の井戸の前で待っておりますと、
丑三つ時に井戸の中から陰火がボーとあがります。
ざんばら髪のお菊さんが、それへさしてズーと出てまいりまして、
「うらめしや～鉄山どの～一枚・・二枚・・三枚・・」
と皿を数えます。

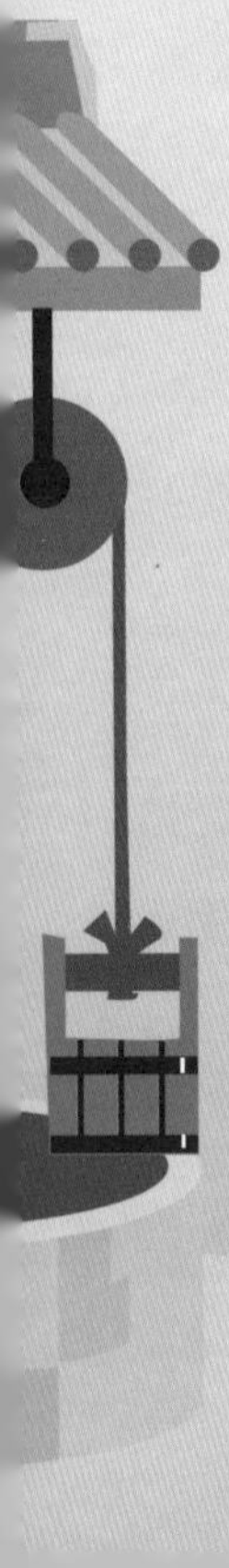

七枚ぐらいになりますと、
それ逃げえ！・・・と、
大急ぎで、みんなで駆け出します。

「怖かったなあ」

「ああ、怖かったなあ」

「しかし、べっぴんさんでしたな」

「そうでしたなあ」

「明日も行こか？」

「行こ行こ」

と、毎晩毎晩、見物人が増えまして、

ひと月ほど経ちますと、
いっぱいの人で、
「もし旦那、井戸端のええとこ
2枚ありまっせ」と、ダフ屋が
出たりいたします。
宵のうちはザワザワとしておりますが、
午前2時・丑三つ時になりますと、
あたりはシーンと静まります。
お菊さんが、すーと井戸の中から出てまいります。
「待ってました!お菊さん!
今日もええ声でたのんまっせ!」
「こんばんは。へえ。一枚、二枚、三枚・・七枚・・・」
「それ、逃げえ!」
「十枚、十一枚、十二枚・・・」
「おーい、待て待て、逃げんでもええ。戻って来い。
なんやおかしいで」
「お菊さん、あんた十枚の皿が一枚足りんで恨んで出てるんやろ!
何枚、数える気やねん!」

「そんなポンポン言いなはんな。
たまには、十八枚数えて、
明日、休みまんねん」

皿屋敷・ひとくちあとがき

皿屋敷は、姫路の城下町を舞台にした「播州皿屋敷」と、江戸に置き換えた「番町皿屋敷」があり、歌舞伎、浄瑠璃、講釈などでも古くからある題材。上方落語の皿屋敷は、播州のほうが舞台となっています。いつ落語になったかは定かではありませんが、井戸端が芝居見物のようになるという笑い話は、古い本にもあるそうです。上方落語では幽霊といえども面白キャラですね。

五光

深い山の中というものは、
何があるかわからんもんでございまして。

ここに出てまいりましたのは、ひとりの旅人、どう踏み迷うたものか、街道からはずれて、一日中、山の中をさまよいまして、なんとか里らしきところへ出てきましたのが、もう日の暮れでございます。

「やれやれ、何とか助かった。向こうにお堂が見えるから、もう人家は近いやろ」

ぼろぼろのお堂の前へまいりますと、坊さんがひとり、お堂の縁に座っております。

「あ、坊さん、おたずねしますが、もう、村は近いでっしゃろか？」

なんにも言いまへん。

よう見ると、着ているものは、もう破れて汚れて、髪も髭も伸び放題、やせ衰えまして、しかし、眼だけはらんらんと輝き、目の前の松の木の根元あたりの一点を睨みつけております。その形相の恐ろしいこと。

「あの、もし。道に迷うて難儀しております。村は、ありまっしゃろか？」

何度、声をかけても、ピクリとも動きまへん。
旅人は、もうええわ、と思いながら歩いてゆきますと、
一軒二軒と家が見えてまいりますが、もう夕闇やとゆうのに、
灯が付いてまへん。陰気な村やなあと思うておりますと、
一軒だけ、灯かりの付いた家があります。すがるような思いで、
「こんばんは、道に迷うて難儀しております。どうかひと晩、
土間の隅で結構ですので・・」
ひとりの老人が出てまいりまして、
「そら、お困りやのう。
じゃが、ウチは、今、
ちょっと、
取込みがありましてな、
お泊めするわけにはは
いきまへんのや」

「そんなことおっしゃらずに、お願いいたします。

近所に灯の付いたところもなさそうで・・」

無理矢理に頼み込んで、中へ入れてもらいます。

囲炉裏がありまして、奥の間に十七、八でしょうか、娘さんが床を延べて寝ております。

「取込みというのは、あれじゃ。病人でしてな。

まあ、雑炊でも食べて寝なはれ」

じゅうぶんにお礼をいいまして、さすが、一日の疲れが出たものか、すぐに寝てしまいます。

夜中の、今でゆう3時頃でございます。

何や知らん音がするので目を覚ましますと、

「うーん。うーん」

病人がうなされております。
ふと枕元を見ると、何者かが座って、娘の顔をジーと見ている。
その形相の恐ろしいこと。
あれ?あの男、お堂の前に居てた坊さんや・・ウアー、怖わ。
とふとんをかぶって震えておりますと、
やがて、唸り声も消えて、しらしらと夜が明けてまいります。
老人がいいます。
「客人、ゆうべ、あれを見たじゃろ。
どんな化けもんかわからんが、孫娘は、
あれに魅入られましてな、もう、長いことないのじゃ」
「ご主人、そら可哀想や。わて、アイツ知ってます。
ちょっと待っててんか!」

ゆうべ来た道を一目散に走ります。お堂のところまで来ると、
やっぱり、昨日の姿のまま、坊さんが座ってます。
「こらっ！お前、何すんねん！仮にも仏につかえる身でありながら、あんな可愛い娘に懸想しゃがって。かわいそうに、
あの娘、今朝がた、死んだで！」
今まで動かなかった坊主が・・・ビクッと動きまして。
「えっ、死にましたか・・」
というなり、ドサッと松の木の下へ倒れたかと思うと、
見る見る、灰のようになっていきます。そのとたんに、お堂の
扉がギーと開きますと、欄間には立派な桐が彫ってあります。
その内側に満開の桜を描いた幔幕。折から、朝の時雨が、
静かに降ってまいりますと・・、
お堂の内側から、まばゆいばかりの光が射してまいります。
それもそのはず。
松に坊主、桐に桜、そこへ雨とまいりますと・・・

そら、後光が射さなしゃあないですな。

五光・ひとくちあとがき

最初にこの話を聞いたときには、いったいどうなるのかハラハラしたものですが、さすが上方落語のアホらしさです。江戸落語にも、「いが栗」という類似の話があるようですが、さすがにこちらは、元気になった娘と旅人はこれが縁で夫婦になるところまであり、花札で突然オチに行ったりしません。この話が生まれた時代は、トランプではなく花札が一般的で、五光という役も皆が知っていて笑いが成り立ったのでしょう。

堺飛脚

まだ郵便の無い時代、活躍したのは飛脚やそうですな。
お得意さんになると、なんでも聞いてくれたようで。
「いつもすまんなあ。あんたに頼むと安心やから、
ついつい無理ゆうて」
「いえいえ、なんなりと。へえ、へえ、・・堺へ。今から。
明日の朝に返事を、へえへえ」
「そうやねん。真夜中に走ってもらうと、明け方に着くやろ。
先方は朝の早い人やから、なかなかつかまらんのや。
あんた、堺へ着いたら、先方が起きるまで待っといてもろて、
朝のうちに返事をもろうて、持って帰ってほしいのや」

飛脚さん、堺へ向けて、夜更けに走り出します。

大阪から堺へは、今でも堺筋といいますが、
一本道で南へ南へ。途中には、飛田の森という大きな森がありましたんやそうですな。のちには、これが有名な色町に変わるのですが、その頃はうっそうとして寂しい森です。

「いつ通っても気持ちのわるい森やなあ、ここは。

ええい、一気に突っ走ってやろう」と、

しばらく行きますと、目の前に、ひょい、と
出たものがある。

「なに?傘小僧?フン、狸か狐か知らんが、悪さしやがって。
・・コラ!何百回もここ通ってるワシの顔知らんのか!
そんなもん、こわがると思うとんのか!
傘小僧てなもん、古いわ!引っ込め!」
どなりますと、フッと消えます。

また少し走りますと、今度は雲を突くような大入道。

「うぁ、今度は大入道かえ?
昔ながらの化けもんばっかり出しやがって!
消えろ消えろ!古いわい!」
また、スーと消えてしまいます。

そうこうしているうちに森を抜けまして、
道端に一軒家があります。

もう明け方で、女の人が井戸の水を汲んでおります。
そばを通りますと、クルッとこっちを向くんですが、
これが、顔がありません。
「おっ、今度はずんべらぼうかい？
もうちょっとましなことでけんかえ？古いわい！」
どなると、ポンと、家ごと消えてしまいます。

また、しばらく走りますと、しらしらと夜が明けて
まいりまして、堺の大浜の海岸に出てまいります。
「やれやれ、なんとかここまで来た。もう、
けったいなもんは出んやろ。
しかし朝の海はきれいやなあ」
夜明けの朝日で、きらきらと波打ち際が光っております。
飛脚さん、朝の澄んだ空気を吸っておりますと、
バシャッ、バシャッと、海から
大きな鯛が飛び上がって、
飛脚さんの目の前へ落ちてまいります。
「こらあ、えらいええみやげが出来たなあ。
なんと、うれしい！」
飛脚さんが、
尻尾を持って持ち上げてみますというと・・・
その鯛がギョロ！と目ぇむいて・・・

「これでも古いか！」

堺飛脚・ひとくちあとがき

飛脚の話は、落語にたくさんあります。
大阪から明石まで走る飛脚。走る途中で
大蛇に飲まれたのに気が付かぬ飛脚・・。
堺飛脚も、昔からの笑い話をヒントに、
どんどん工夫されて今のカタチになった
ようです。なんでも「古いなあ」という
男は、何か落語になりそうな。
会話が無く、ひとり語りですすむ展開は、
おとぎ話のようでもありますね。

死神

金が無いというのは、今も昔もつらいものでして。

出てまいりましたひとりの男。若い時分から何をしてもうまいこといかん。年がら年中、金が無い。中年を過ぎて、町医者の手伝いなどをしておりましたが、もう世を儚んだんですな。

首でもくくって死んでやろうと、ある晩、枝ぶりのええ大木のそばまでやってきますと、

「おい」

「うん？誰か、私を呼んだのかいなあ？」

「わしや、わしや」

見ると木の枝の影にボーと立ってるじいさんがおります。頬は痩せこけ、頭はぐしゃぐしゃの白髪。灰色の着物を着て、はだけた胸にはあばら骨が見えております。竹の杖をついて、

「わしや、わしや」と、こっちへ近づいてまいります。

「はて、どちらさんでしたやろ？」

「わしは死神や。お前の頭の中が死のうという気持ちでいっぱいになったからな、他の人間には見えん、わしが見えるようになったんじゃ。これからは、医者になれ。病人の寝ているそばにはな、必ずわしが控えているのじゃ。わしが足元におったら、

ポンポンと手を二つ叩け。そしたらわしはスゥーとおらんようになり、病人は見違えるように元気になる。ただしな、枕元におるときは、その病人はもう寿命や。決して助からん。これだけおぼえておけ」

死神は言うだけ言うて消えてしまいました。ふと、我に返ったこの男、なんや、今のは夢かいな、死のう死のうと思うてるから、歩いていてもけったいな夢を見るんやなあ・・と、思いながら家へ帰って寝てしまいます。

明朝、表の戸を叩く人がおりまして誰かと思いますと出入りのお店の手代でございます。「す、すぐきてくれ。旦さんが急病でな、医者に見せてもわからん。まじない師が言うにはひょっとしたら、あんたが治せるかも知れんとご指名や」

行きますと、奥の座敷で旦さんが寝ております。皆、心配そうに見ております。その中で、足元にひとり、誰にも気づかれずにジーとうつむいて、昨夜のじいさんが座っております。はああ、ゆうべの話は夢やなかったのか。男は、半信半疑で、持ってまいりましたええかげんな薬を病人に飲ませますと、ポンポンとふたつ手を叩きます。即座に、死神がスゥーと消えてしまいます。

「あーあ。なんや知らんけど、スーと気分がようなった。腹が減ったわ」

今までうなり声をあげていた病人は、ウソのように回復いたしまして、これが評判を呼んで、この男、たちまち大先生になってしまいます。

ある日のこと、豪商、鴻池の番頭が訪ねてきまして、どうしてもお嬢様の病気をなおしてくれという。いつものように病人の前へ行きますと、なんと、死神が枕元で、ぼんやりと病人の顔を見ております。

「これはもう、手遅れでございますな」

「そこをなんとか、先生のお力で。これまでの評判も聞いております」

「いや、なんと言われても、この病人はむずかしい」

「大事な娘のこと、治していただけましたら、千両、お支払いいたします」

「千両！？うーん。それではな、気の利いた男を4人、布団の四隅へ座らしなはれ。私が、よし！と言うたら、四隅を持って布団をぐるっとまわして、病人の頭と足を入れ替えますのや」

「そ、そんなことで病気が治りますか？」

しばらく待っておりますと、枕元の死神が、ウツラウツラと居眠りをし始めました。

「それ、今や。ソーと・・・」

死神がハッと気がついた時には、もう足元になっております。

男はすかさず、ポンポンと手を打つと、死神があわてながら、スゥーと消えてしまいます。

お嬢さんは元気を取り戻しまして、男には千両が手に入る。

というめでたい話には、ちょっとなりません。

「おい」

「あ、死神さん」

「おまえ、よくも大恩あるわしをバカにしてくれたな。ちょっと、わしについて来い」

街中とは思えん、石の地下室のようなところへまいりますと、いっぱいのろうそくが灯っております。

「これはな、人間の命のろうそくや」
死神は、その中の、
今にも消えそうな一本を指さして、
「これが、お前の寿命や。
お前は、金に目がくらんで、
自分の寿命を病人に売ってしもうた。
どや、もう消えそうじゃ」
「うわー！消えたらあかん！
消えたらあかん！」

「ホレ、消えた」

フッ

死神・ひとくちあとがき

死神は、江戸から明治にかけて怪談・真景累が淵など幾多の名作を残した初代三遊亭圓朝の作。原典はグリム童話だそうです。ここでは上方落語風にまとめてみました。他の圓朝ものと違い、短く、軽いこともあり現代でも高座でかかる頻度は高く、ろうそくの火が消えるのと同時に演者がバタッと倒れる「しぐさオチ」のほか、演者によってさまざまなオチの工夫があります。

七度狐

喜六と清八という大阪の兄弟分。伊勢参りでもしょうかという、でも付きの伊勢参り。気楽な旅の途中でございますが、旅の恥はかき捨てと村はずれの煮売屋から作ったばかりのイカの木の芽和えを、すり鉢ごと持って逃げまして、歩きながら手づかみで喰いよった。空になったすり鉢を草むらの中へポーンと放り投げたところ、まん悪うに寝ていた狐の額に「カツーン！」と当たります。さて、この狐がただの狐やない、いっぺん人間に恨みを持つと七度化かして返すというので七度狐の異名をとる、年古りたヤツでございます。

「悪いヤツなあ！おのれ〜憎いは〜ふたりの旅人。稲荷の遣わしたるこの狐に、よくも手傷を負わしたな〜」と睨みますと、クルッと宙返りをして消えてしまいます。

ふたりのほうは、何にも知りまへん。

「おい。清やん、こんなとこに川があるで」

「おかしいなあ。道中記を見てもこんな川はないなあ。いっぺん、石を投げてみ。ドブンとゆうたら深いから回り道をせないかん。チャプンなら浅いから渡れるがな」

「ほな、放るで。ホイ」

「ドブンか？チャプンか？」

「バサバサッゆうたで」

「バサバサッ？ははあ、こないだの大雨で水が出て、草むらがにわかに川になってるのやな。それなら深うはない。歩いて渡ろ。着物を脱いでな、傘の中へ入れて、頭へ結び付けるのや。それからな、そこに長い竹が落ちてるやろ？それを持って、わしが前や。お前が後ろや。足で探り探り行くからな、お前は、わしが、『浅いぞ』というたら、その竹をグッと押し出すのや。『深いぞ』というたら、グッと引いてくれ」

「わかった、『深いぞ』ゆうたら、グッと押し出すんやな」

「アホ。反対や。『深いぞ』で押し出したら溺れてしまうやないか」

「わかった。ほな行くで。浅いか～深いか？」

「浅いぞ～浅いぞ！」

「深いか～浅いか？」

「浅いぞ～浅いぞ！」

「おーい。田吾作よー。お前ンとこの畑を男がふたり、裸で踏み荒らしとるでー」

「ほんに、おおかた狐にでもだまされとるんじゃろー。おーい。旅の人、何しとるんじゃ」

「アレ？今ここにあった川、どこへやった？」

「このへんは、悪い狐がおるからなあ、気をつけて行きなされ」

「早よ来い、早よ来い。えらい恥をかいたな」

「ほんまや。清やん、ゆうてるあいだにだいぶあたりが暗うなってきたな」

「そうやな。このあたりに旅籠は無いし。山道へ差し掛かってるしなあ・・・。おお、あそこに寺がある。今晩はあそこに泊めてもらおうやないか」

「こんばんは。こんばんは。ちょっとお願いでございます。旅のもんですが、山道で日暮れて難儀しております。」

今夜ひと晩、泊めていただくわけに行きまへんやろか？」

「はい。どなた？ああ、それはそれは、お困りですな。しかしここは私ひとりの尼寺でしてな、男の方は、お泊めするわけにいきまへんのや」

「そこをなんとかお願い申します。ほかに泊まれるようなところも見当たりまへん」

「それでは、本堂でお通夜をなさるということなら・・」

「そうさせていただきます」

「私は、これから、上の村のお小夜さんという金貸しのおばあさんが亡くなりましてな、お経を上げに行きますので、あんたら、ふたり、お留守をお願いします。」

「えっ？庵主さん、我々だけですか？」

「いいえ。丑三つ時になりますとな、裏の墓場からいろんなもんが出てまいりますから、賑やかでっせ。いやいや、そないに怖がらんでもよろしい。お灯明の火さえ消さなんだら、妖しいもんは出まへん。ほな、行ってきます」

「あ、ちょっと、もし。あー、行ってしもた。どないしょ、清やん、怖い！」

「お願いしまーす！庵主さま〜。
上の村のもんですが、お小夜後家、
どうしても成仏せんので
こっちへ運んできましたんで〜。
えー？庵主さん出た？ホレ見てみ。
近道をしたから行き違いになってしもたやないか。
これ、棺桶、置いておきますんで。
へい。庵主さんには
すぐに帰ってきてもらいます。さいなら」
「ちょっとちょっと、そんなもん置いたらアカン。
ただでさえ怖いのに、またふえた。
清やん、どないしょ！」
「お灯明の火さえ、消さなんだら・・・
あ、あ、消えかかってるがな、あ、消えた」
「ヒュ〜ドロドロ。うらめしや〜」
「金、返せ〜」
「うわー！わたしらは旅のもんで、
関係おまへんねん！お助けを〜！！」

「おーい、田吾作よ、
さっきのふたり、今度は
地蔵さまの前で泣き叫んどるでよー」

七度狐・ひとくちあとがき

東西南北だけでなく、海へ空へ、地獄へも広がる上方落語の旅の話ワールド。七度狐は、その東の旅の一部分。これ自体、長い話ですが、省略しながらまとめました。元来、旅の話の発端は、前座が小屋へお客さんを呼び込むための決まり文句から始まったものだそうですが、今日ではどれも大作になっています。いっぺん、全部一挙に聞いてみたいものです。何時間ぐらいかかりますかね。

ちはやふる

もの知りの人、というのが、世の中にはおりまして、こういう人は、なかなか「知らん」ということが言えんそうですな。

「こんにちは」

「おお、めずらしいやないかいな。まあ、こっちへあがってお茶なと飲みなはれ」

「へえ、おおきに。今日はひとつ、もの知りのあんさんにお聞きしたいことがあって来ましたんや」

「ほう、そらまた、どんなことかいな。なんでも聞いて。まあちょっと知らんということは無いで」

「そうでっしゃろ。助かります。実は娘のことですねん。なんや今、学校の友達どうしで百人一首というかるたが流行ってるのやそうで」

「ふんふん。なかなかええ遊びやな」

「へえ。それでね、ひとりずつ、歌の意味を調べて来るんやそうで。うちの娘が、私に聞きますのや。

『お父さん、ちはやふる かみよもきかず たつたがわ からくれないに みずくぐるとは　というのは、どういう意味かいなぁ？』と、言いますんや」

「わしな、ちょっと用事、思い出してな。
もう帰ってくれるか」
「そんな冷たいこと言いなはんな。
これ、教えてからに
してくれまへんか？」
「しゃあないな。
ほな、教えよか？」
「へえ、お願いしますわ」

ちはやふる

「まあ、この、エヘン！
ちはやが振った
わけやな」
「なんです？ちはやというのは、
名前ですか？」
「知らんか？昔、一世を風靡した
人気の花魁、ちはや太夫や。
これにぞっこん惚れ込んだのが、
竜田川という相撲取りやな」
「はあ、竜田川というのは相撲取りの名前ですか」
「そうや。大関までいった立派な相撲取りや」
「へえへえ」
「竜田川、ちはやに振られて、
その妹の神代にもいやがられ、世をはかなんだのやな、
すっぱりと相撲をやめて、故郷へ帰って豆腐屋をはじめた」
「まあ、えらい極端な」

「ある朝、竜田川が、店を開けると、店の前にみすぼらしい女が倒れている。お願いでございます、おからを少し恵んでいただけませんか?というのや」

「おもろなってきましたな」

「さあさあ食べなされと、おからを差し出して女の顔をふと見ると、なんと自分を振ったちはややないか」

「あらま、えらい落ちぶれましたんやなあ」

「ええい、お前なんぞに食わすおからは無いわい!と、冷たく突き飛ばしたんや」

「薄情なヤツですな」

「もう生きる望みは無いと、そばにあった井戸へ、ちはやは、飛び込んでしもうたな」

「あーあ、かわいそうに」

「これでしまいや」

「何がです?」

「せやから、百人一首の歌の意味やがな」

「あ、話に夢中で、ころっと忘れてました」

「ちはや振る・・や」

「なるほど」

「神代もきかず、竜田川。

からくれないに、や」

「へえ？」

「おから、くれへんかったやろ。

それから、井戸へ飛び込んだから、
みずくぐるとわ　や」

「なるほど。それで最後の、
とわ　はなんです？」


「うーん。とわは、ちはやの本名や」

ちはやふる・ひとくちあとがき

もの知りの学者や隠居さんがトンチンカンな説明をするという笑い話は、古典落語のパターンのひとつ。矢がカーンと当たってその名が付いたという「薬缶」。どこまで行ってもその先を聞く話も、昔、聞いた記憶がある。落語の好きな人は、百人一首の歌を、少なくともふたつ知ってますな。この「ちはやふる」と「崇徳院」。これもいつか、絵本にしてみたいです。

青菜

ある、夏の夕暮れ。
立派なお屋敷の庭先でございます。
この家の主人が縁側に膳を出して
一杯やろうとしております。
庭の中では、植木屋さんが仕事を
終えまして、片付けをしておりますところで。
「あ、植木屋さん、
もう、仕事はよろしいのかいな」
「へえ、きょうはちょうどキリがようございまして、
明日は少し早めにはじめようと思うとります」
「いやいや、とがめてるのやない。夕暮れになっても、
今日は暑さが残って体が
ほてるのでな、
ちょっと、縁側でこんな
ことをしておるのじゃが、

あんた、手が空いたら、
ちょっとこっちへ来て、一杯、
年寄りの相手をしてくださらんかな、と」
「へえ、ありがとうございます。
これは、なんですかいな?」
「うん、鯉の洗いを、井戸の水でうんと
冷やしてありますのや。
酢味噌で食べなされ」
「美味しございますなあ。
こんなものは初めてで」
「これはな、柳蔭というてな、
こんな日には、口当たりのええお酒じゃ」
頂戴します。ほんに。よろしいですなあ」
「時に植木屋さん、あんた、
青菜をお食べか?」
「へえ、青菜は大好きで」

「あー、奥や奥や」

「はい。お呼びでございますか」

「うん。植木屋さんは青菜がお好きやそうな、ギュッと絞って、持ってきておくれ」

「あの、旦那様、鞍馬から牛若丸が出でまして、その名を**九郎判官**」

「ああ、そうか。**義経**にしておけ」

「旦那、ほな、わたしは、これで」

「まあ、ええじゃないか。もう少しゆっくり飲んで食べて行きなされ」

「いいえ、鞍馬のほうから、どなたかがお見えになられたそうで」

「ああ、あれか。あれはな、植木屋さん、あんたに青菜を食べさせてあげようと思うたんやがな、家の者で食べてしもうたらしい。客人の前で食べてしもうたとも言えんのでな、『その菜を喰ろう判官』と掛け言葉で言うてきたのでな、わしも、よしよし、わかった。義経・・・と、こう言うたのじゃ」

「ほうー。お屋敷のお言葉は、違いますなあ」

この植木屋さん、えらい感心しまして、家で嫁はんのお咲さんに言います。

「そんなことぐらい、わてかてできるわ」と、お咲さん。

「そうか。お、ちょうどええところへ、向こうから松ちゃんが来た。ほな、いっぺん、やってみよか？お咲、お前、押し入れへ入れ」

「おい、風呂行こか」

「これはこれは、植木屋さん」

「ナニぬかしてんねん？植木屋はお前や。俺は大工や」

「あんた、一杯飲んでいかんんか？」

「こら、珍しい。そんなら一杯いただこうか」

「時に植木屋さん、あんた、青菜は、お食べか？」

「植木屋はお前やちゅうのに。俺、青菜は嫌いや。いらん」

「そんなこと言わんと、出さへんから好きやゆうて」

「そこまでゆうなら貰おか」

「奥や、奥や」

「うあ！びっくりした。お咲さんが押し入れから跳んで出てきた。汗びっしょりやな。お化け屋敷かいな」

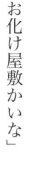

「植木屋さんにな、青菜を、ギュッと絞って持ってきなさい」
「植木屋はお前や！というのにしつこいな」
「鞍馬から、牛若丸が出でまして、その名を
九郎判官義経」

「ええ？
うーん、うーん、
弁慶にしておけ」

青菜・ひとくちあとがき

俳句に季語があるように、落語にも季節感がありますなあ。青菜は、夏の話。庭先と縁側、膳の上の涼しそうな気配が、この話の眼目ですかな。男がよそで聞いてきた気の利いた言い方を嫁さんに話すと、真似をしてしくじる・・・という流れは江戸の頃からあった笑い話のひとつのパターンだそうですが、現代でも通じる笑いに仕上げた先人の力は、見事ですね。

はてなの茶碗

京都のお話でございます。

茶道具の目利きをさせたら天下一。

京都のもんなら誰でも知ってる茶道具屋の金兵衛さん、人呼んで茶金さんの店先です。

こざっぱりと着物を着た男。持ってまいりました風呂敷包みを開け、小さな茶碗を見ながら、番頭相手に声を荒げております。

「せやから、あんたではわからんのや！

茶金さんを出してんか！

よう見てもらいたいんや。この茶碗を」

「誰が見ても同じでございます。

これは、そんな美術品のようなものではございませんです」

店が騒がしいので、
奥から茶金さんが出てまいります。

「あ、茶金さん、あんたに会いたかったんや。

ちょっと、これ、見て」

「何か番頭に不手際がありましたようで、

私がお詫び申しあげます。拝見いたします」

しばらく茶碗を見ていましたが、

「これはうちの番頭が申すとおり、そのあたりで売っております普段使いの数茶碗のようですが・・・」

「さよか。茶金さん、あんた殺生な人やな。俺はな。今日はこんなかっこうをしてるけど行商の油売りやねん。4、5日前、あんた、音羽の滝の茶店で茶、飲みなはったやろ?これは、その時の茶碗や。飲んだあとに内側外側じっくり見て、日にかざして、『はてな』というて茶碗を置いて行った。あんたが一言、これは、というた道具は百両を下らんという天下の茶金さんや。これは大儲けができると思うて、油売りで3年間貯めた二両という大金を出して、茶店の親父と喧嘩までして持ってきたんや。なんでもない茶碗やったら、あんなけったいな茶の飲み方するない!とほほ。もう油屋もやめて、大阪の親元へ帰らなしゃあない」

「そうでしたか。それはわるいことをしました。思い出しました。あの時は茶を飲んだら手が濡れるのでな、よくみると、ポタポタと漏る。どこにもキズもなく、うわぐすりの途切れたところもないのに、ポタポタ。おかしいな、と思うてみてましたのや」

「なんや、ただのキズもんか」

「いや、それでもあんたは、この茶金の名前に3年貯めた大金をはたいてくれた。そのお礼として、一両つけて三両で買わせていただきましょ。これからはあんまり一攫千金のようなことを考えずに、地道に商いに励みなはれ」

油屋はきまりがわるいと見えまして何度も礼を言いながら、逃げるように帰ります。

さて、茶金さんともなると色々、ええところにも出入りをしております。ある日、関白鷹司公のお屋敷へまいりました時に、

「金兵衛、近頃、面白き話はないか？」

ということで、この茶碗の話をしましたところ、

「麻呂も、その茶碗が見たい」ということになり、
その茶碗を見て一首。

清水の音羽の滝の音してや　茶碗もひびに森の下露
という
お歌ができました。

そのことが、ついに帝のお耳に入り、

「いちど、その、ちゃわんが　みたい」

となりまして、その箱に、
自ら万葉仮名で、

「波天奈」と箱書きが座ります。

それを今度は、豪商、鴻池善右衛門が、

「茶金さん、その茶碗、うちで千両で預からしてくれまへんか」

と、なりました。

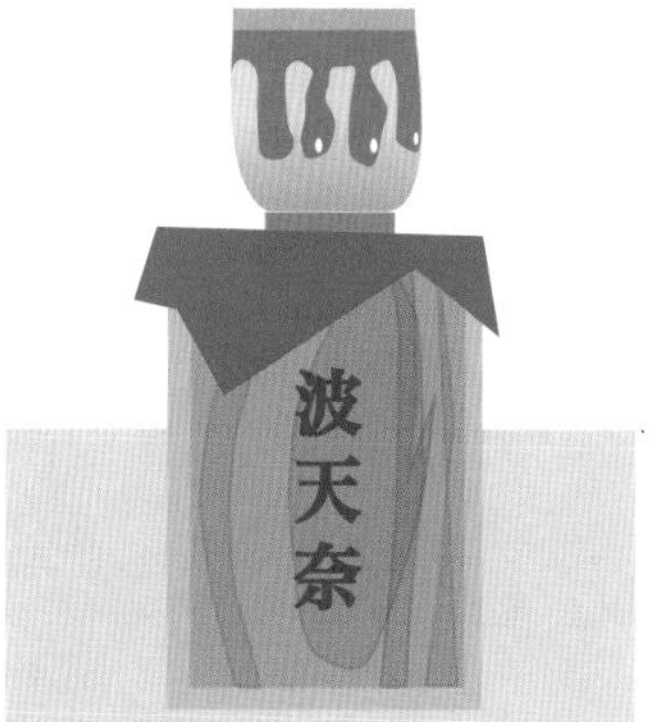

茶金さんは、
京都中を探し回って
あの油屋を見つけまして、
その話をいたします。
「油屋さん、そういうわけで、あの茶碗、千両で売れました。
半分は、あんたに返すから大阪へ帰って
地所でも買うて暮らしなはれ」
油屋は、びっくりするやら、もう大喜びでございます。

それから、ひと月ほど経ちまして、
茶金さん、
表がえらい騒がしいので、出てみると、
揃いの浴衣の若いもんが数十人、
大きな水がめを派手な車に乗せて
ワイワイと曳いております。
その上で音頭をとっているのは、
あの油屋です。
「あ、茶金さん、
今度は十万八千両の金儲けや！」

「水がめの漏るのん、見つけて来た」

はてなの茶碗・ひとくちあとがき

もう埋もれかけていた古い江戸落語を米朝さんが再構成して上方落語に復活させたという。東京のほうでは「茶金」という演題で、古今亭志ん朝の音源が残っていて、聴き比べてみると、なかなか東西の重点ポイントが異なり面白い。米朝の油屋さんは大阪人、志ん朝の油屋さんは、もちろん江戸っ子。京都からみると、どちらもよそ者なんですなあ。

花筏

相撲のお話でございます。

昔は、江戸と上方に相撲があり、各地へ巡業にまわりましたんやそうで、テレビの無い時代ですから、お相撲さんの名前は知っていても顔はもひとつ、ようわからんかったようで。

「ごめん」

「あ、親方。いつもお世話になっております」

「徳さん、実は、きょうはひとつ、お願いがあって来たんやがなあ」

「へえへえ、何です？私が、病気の大関の替わりに地方巡業へ？親方、そんなアホな。そら、皆がゆうように、花筏関と私はカラダや顔付きは似てまっせ。しかし、そら、似てるだけでっせ。こっちは太ってミズぶくれ。ただの提灯屋ですわ。お役に立てますかいな」

「誰も相撲を取れとは言わんがな。ただ、座ってるだけで、客は満足や。

大関は病気で相撲は取りまへんと、先方にはゆうてあんねや。お礼は弾むさかい」

提灯屋の徳さんは、そのカラダつきを見込まれまして、人気の大関花筏になりすまして、巡業先へまいります。

毎日、にわかに教えてもろうた
土俵入りだけしまして、
宿へ帰ると大好きな酒を思い切り飲んで、
めしを喰うて寝ております。

「あー、こんなラクな仕事は今までに無いなあ。いよいよ、あさっては千秋楽。大阪へ帰れるなあ」

一方、こちらは、地元の力自慢、千鳥が浜。大阪相撲を相手に勝ちっぱなしで、毎日、大喝采を浴びております。もう、あとは花筏しか居らんという勝ちようで・・

「徳さん・・あ、いや、花筏関」

「ああ、親方、なんです？」

「実はなあ、どうしても千秋楽では、相撲を取って貰わんならんことになってしもたんや。あの、地元の千鳥が浜とな。いいやいな、そないにビックリせんでもええわいな。花筏は病気やと皆にゆうてるさかいな。パッと立ったとたんに相手の胸を両手でポンと突いて、ドスンと尻もちを付いたらええねや。『ああ、やっぱり、花筏は病気やなあ』と皆が思うさかいに」

徳さん、震えが止まらんようになってしもてます。

一方、千鳥が浜の家では、
おとっつぁんが、泣いて怒っております。

「あほか、お前は！世間知らずもホドがあるゾ！大阪相撲の大関というのはどれだけ恐ろしいか知らんのか！
こんな田舎町の力自慢フゼイが
テングになりやがって。
相手は、ド素人の生意気なヤツ、
土俵でヒネリ殺してやろうと思うとる
わい！お前が死んだら、このワシは
どうしたらええのんじゃ！」
おとっつぁんに言われますと、
千鳥が浜も急に
怖おうなってきまして・・・
後悔しております。
さて、千秋楽の当日でございます。
結びの一番、初めて花筏が
相撲を取るというので、
えらい騒ぎでございます。
「ひがぁーしぃー、はなーいかだー」
「にぃしー、ちどりがはぁまー」
ワーという喚声。

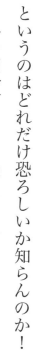

徳さんのほうは、もう生きた心地がせえしまへん。

ポンと手ぇ突いてうしろへ・・・て、

そんなうまいこと行くやろか・・つかまってしもたら投げ殺されるやろなあ。「ナマンダブ、ナマンダブ」グスン。

と泣いております。

と、その徳さんのナマンダブが、ふと、千鳥が浜の耳にはいりまして、ギョッ！とします。

あ、やっぱり、おとっつぁんの言う通りや。ワシをヒネリ殺すつもりで念仏を唱えてるのや、ああ、どうしょう？そうや、つかまる前に、先に転んでしまえばええのや・・。

さあ、軍配が上がりまして、徳さんが、無我夢中で両手を前へ出しまして、さあ、ひっくり返ろうと思いますと、

相手の千鳥が浜のほうが、先にひっくり返ってしまいました。

花筏の徳さんは、キョトンとしております。

見物衆は、大喝采でございます。

「見なはれ。さすが、大阪相撲の大関ですなあ。

手ぇ出しただけで、千鳥が浜が飛んでしまいましたなぁ」

「そうですなあ。見事な張り手ですなあ」

それもそのはず、
張るのはうまい提灯屋でございます。

花筏・ひとくちあとがき

古い資料には「提灯屋角力」という演題も使われています。場所は江州の長浜という設定。もともと講釈の話で、いつからか落語になったようです。徳さん、勝ったからよかったものの、負けてたら大変ですな。ぺちゃんこに折り畳まれて、やっぱり提灯屋、ではシャレになりまへんな。

愛宕山

大阪ミナミをしくじりました、太鼓持ちの一八。京都の祇園で働いております。天気のええ一日、島原あたりの旦那が、思い切って野掛けをしようということになりました。今で申しますハイキングですな。芸者や舞子はんを大勢連れまして、一八もお供します。祇園町から西へ西へ。堀川をよぎりまして二条のお城を尻目に、野辺へ出てまいりますと、春先のこと、空にはヒバリがさえずり、野にはカゲロウが燃えてます。麦が青々とのびて、菜種の花や蓮華、タンポポの花盛り。その中をやかましい言うて歩く、その道中の陽気なこと。

「おーい。ちょっと待ちなはれ。うしろのほう、遅れてまっせー。旦さん、ちょっと待っとおくれやす」

「早よ来い、早よ来い。先に行くぞ」

「一八つぁーん。手え引いて～」

「一八つぁーん。きれいな蝶々、とっておくれやす」

「あかん、あかん。そんなもんとれるかいな」

「一八、幼い舞妓が言うてんねや、とってやり」

「へえ。ところで旦さん、きょうはどこへ行きまんねん？」

「愛宕山へお詣りすんねや。大阪の人間には気の毒やけどな」

「なんでです？」

「大阪には山があらへんやろ？　山登りを知らんのとちゃうか？」

「大阪にも山はありまっせ。茶臼山に天保山」

「そんなもんが山に入るかいな。京都のまわりは山ばっかりや。東山西山、叡山、愛宕山、高い山ばっかりや。お前、登れるか？」

「バカにしなはんな。これぐらいの山、この一八なら、片目でケンケンですわ」

「よう言うた、皆、弁当やら荷物やら、一八に持ってもらえ」

「一八つぁん、おおきに。ほな、一八つぁん、お先」

「皆行け、皆行け。ほんまに京都のヤツは山に慣れとるなあ。ええわい。ゆっくり行ったろ」

汗の小一升もかきながらフウフウいいまして、それでもなんとか、京の街が一望できる頂上付近の茶店の前までやってまいります。

「旦さん、あそこに、ようけカワラケが積んでまっけど、酒でも飲ますんでっかいな」

「あれは酒を飲むもんやない。投げるのや。お前、知らんか？大阪でもどこぞでやってるやろ。カワラケ投げ。やってみようか。ホレ、シューと飛んで気持ちがええがな。今度はあの木とこの木のあいだを通すで。ホレ！どうや、うまいもんやろ」

「なーんや。そんなもん、カンタンですわ。わても、あの木とこの木のあいだ通しまっせ。ホレ！あれ？」

「あかんがな。不器用なやっちゃなあ。あっちゃのほうへ行ってるがな。口先だけやな」

「おかしいなあ」

「今度はちょっと変わったもんを投げてみよか。これはな、ここで投げよ思うて、うちから持って来たんや。小判が十枚ある」

「えっ！それを投げまんのん！」

「そうや。えい！ほれ見てみ。谷の松の枝にとまってキラキラ光ってるがな、きれいやろ」

「そ、そんな無茶しなはんな！旦さん、あれ、もったいない。人が拾いまっせ」

「拾うたら拾うたもんのもんや」

「え？ほな、わてが拾たら、わてにくれまんのん？」

「そらそうやがな」

「そうでっか！おおきに！わて、ちょっと行てきますわ」

「行ってくるて、あんな谷底、どないして行くねん」

「婆さん、この下へ行く道は？え？無い。そうか。

よっしゃ、婆さん、この傘、借りるで」
一八、欲と二人連れ、茶店で借りました大きな番傘を広げるなり、谷底へ向かって、ポーンと跳び降ります。
「うわーい！うわーい」

あちこちの枝に引っかかりながらも、何とか無事に谷底へ着きました。

「おーい。一八、ケガは無いかー」

「へーえ。大丈夫ですー」

「へーえ。大丈夫ですー」

「金は、あるかー」

あ、ここにある。あそこの枝にもある。向こうにも・・・。

「旦さーん。十枚、全部おましたー」

「その金は、みんなお前のもんやぞー」

「へーえ。おおきに、ありがとうさんですー」

「どないしてあがって来るねやー」

あ、それ、考えてなかった。

「そろそろ、帰るぞー。お前だけ、オオカミに喰われてしまえー」

「そんな殺生なー。いやですー」
一八、何を思いましたか、着ている着物をクルッと脱ぎますと、
さすがにお座敷遊びが商売の太鼓持ち。別染めの長襦袢。
絹ものでございます。
こいつをピーピーと裂いて、縄に綯い、長いツナをこしらえます。
先に手頃な石をくくり付けまして。ビュンと回して、
竹藪の中の長い一本の上のほうにキリリと巻きつけますと、
グイと引っ張り、じゅうぶんにシナリを付けまして足元をポン
とひと蹴りします。グーンと体が浮きあがって、元も場所へ。

「へえ、旦さん、
ただいま」
「えらいやっちゃなあ。
戻って来よったがな。
それで、金は？」

「あ、忘れてきた」

愛宕山・ひとくちあとがき

春の野原の描写が楽しい、ピクニック落語かと思えば、一転、後半はアクションものになってくる面白さ。愛宕山は鳴り物＝バックミュージックが活きる、上方落語の代表格でもある演題です。京都のちょっと意地の悪い旦那と大阪の時々地が出てしまってしくじる太鼓持ちの掛け合いが絶妙。これをこなせば、噺家冥利に尽きるでしょうなあ。

（おつきあい
ありがとうございました。
どちら様も、
お忘れもののないように。）

あとがき

ご縁があって本書を手にしていただいた皆様、ありがとうございます。

本書『上方落語ひとくち絵本』は、２００９年に講談社様から出版していただきました『上方落語こばなし絵本』（現在はもう絶版）の兄弟分として、同じメンバーがまた寄り集まって、今度は自分たちで作りました。前回が「こばなし」であったのに対して、本書では、私自身が好きな落語、15編を採りあげてみました。一編が２０００字を越えないように、いわゆる「ひとくち」で読めるようにまとめましたので、これが本書のタイトルの由来です。その分、同じ演目でも、高座で聴くものよりは、だいぶ端折ってあります。

まあ、ただでさえも話芸を読み物にするのはむずかしいものですから、そのあたりは、どうかご勘弁を願います。あらすじではなく、あくまでも「読む落語」としての完成を目指しました。

今から半世紀ほど昔、神戸の高校生だった頃、友人とふたりで教室を抜け出し、大阪のサンケイホールまで米朝さんを聴きに行ったのはいいが、当日券は売り切れ。落胆して、帰る前におしっこをとトイレに入ると隣で米朝さんが用を足していらっしゃいました。なんとなくいきさつを話すことになり、「ソデから見せたげる」のお言葉に狂喜。そんなご縁で文化祭の係をしていたのを幸いに学校へきていただき米朝さんの落語会を学校行事として開催。それ以来の米朝落語好きは、年齢を重ねるほどに高まりました。この15編も、米朝さんはじめ、若き日に聴いた上方落語の人々の口調を頭に浮かべながら出来ました。話に合わせて絵を描いてくださっている、はやかわひろたださんは、突き抜けるような清々しい、心優しいキャラでして、そこから、このなんともいえない温かみのある絵が生まれます。この人がいて、私の単なる落語好きが、本書につながるわけですが、特に「動物園」のトラや「狸賽」のタヌキのかわいいこと！。私も、装丁デザインの片岡さんも、この絵に魅せられて、笑いながら仕事をしています。そんな、はやかわ画伯のタッチが落語でいう演者のオリジナリティになって、この絵本のほのぼの感を、色濃く形作っているのだと思います。お釈迦様ではないですが、人間世界には、生老病死、いろいろつらいこともありますし、そのうえ天変地異だの感染症だのと、次から次から降ってくる困難が日々あるのですが、そんな時、人は、ひとまずリラックスしたいものです。落語の国には、いつでも浸れる安らぎがあります。この本が、お手元で、少しでもそんな役割りを果たせましたら幸いです。

2021年5月

はじ芽企画　もりたはじめ

上方落語ひとくち絵本

2021年5月27日　第1刷発行

編　：　もりたはじめ
絵　：　はやかわひろただ
装丁デザイン：片岡伸代
発行：　はじ芽企画・森田　一
〒113-0021
東京都文京区本駒込2丁目28-1B-1505
電話：03-5976-6785
発売元：　サンクチュアリ出版
〒113-0023
東京都文京区向丘2-14-9
電話：03-5834-2507

印刷：　株式会社シナノパブリッシングプレス
〒171-0014
東京都豊島区池袋4-32-8 サンボウビル3階
電話：03-5911-3355

定価及びISBNコードはカバーに記載してあります

著者略歴

●もりた　はじめ
（森田 一）

1950年生まれ
東京都文京区在住
百貨店ハウスエージェンシーにコピーライターとして勤務。退職後、古典芸能、特に落語と本が好きなために2020年、出版事業・はじ芽企画をスタート。特技を持つ個性豊かな仲間達に支えられて、さまざまなアイデアを具現化中。

●はやかわ　ひろただ
（早川 博唯）

1940年生まれ
兵庫県伊丹市在住
百貨店の宣伝部にグラフィックデザイナー、イラストレーターとして勤務。
洗練されたタッチとヒューマンな視点でファッションから食料品まで、大きな業績を残し、各種新聞社賞など広告賞受賞多数。退職後はライフワークとしての作品制作を行う。・伊丹美術協会会員・伊丹芸術家協会会員・豊中美術協会会員